用最科学的方法培养最聪明的孩子

幼儿智能全开发

2-3岁

連環画出版社

目录

在哪里…… 1
这是谁的影子…… 2
快与慢…… 3
它要吃颜色鲜艳的胡萝卜…… 4
找出少了的那一块…… 5
是谁偷吃了呢…… 6
彩色的泡泡…… 7
有几个车轮子…… 8
要准备哪些东西呢…… 9
心爱的礼物…… 10
斑点和条纹…… 11
小猴请了哪些朋友…… 12
经常会一起使用的物品…… 13
皮毛上的图案…… 14
涂一涂，数一数，描一描，读一读 15
发现昆虫…… 16
向左走，向右走…… 17
哪个轻，哪个重…… 18
吃力的样子…… 19
跷跷板…… 20
谁最重，谁最轻…… 21
谁在做什么…… 22
正面和背面…… 23
从背后看不到什么…… 24
有好多圆圆的…… 25
摆倒了…… 26
怎么走才安全…… 27
帮小猴涂房顶…… 28
刷好后是这样的…… 29
分西瓜…… 30
请到树上来就餐…… 31
近和远…… 32
宽和窄…… 33
合二为一…… 34
你要向谁学…… 35
小猴把球怎么了…… 36

好玩的手影……………………37
学几个量词……………………38
一双有几只……………………39
一双鞋…………………………40
画一画，比一比………………41
男和女…………………………42
物品和包装盒…………………43
按要求涂色……………………44
叶片上的瓢虫…………………45
厚与薄…………………………46
两个孙悟空……………………47
左手和右手……………………48
哪一个图形没用上……………49
大公鸡，危险…………………50
小象的跷跷板…………………51
按规律涂颜色…………………52
怎样才能玩起来………………53
应该谁跟谁玩…………………54
尾巴画错了……………………55
照片中的小朋友………………56
串彩珠…………………………57
多少级台阶……………………58
谁看得更远……………………59
对与错…………………………60
颜色错了………………………61
新来的朋友……………………62
去皮后与去皮前………………63
小汽车的轮子…………………64
近处和远处……………………65
小鸡出壳了……………………66
小猪好糊涂……………………67
雨天出门………………………68
两条腿和四条腿………………69
适合男孩还是女孩……………70
有些地方不能独自去玩耍……71
气球向着太阳飘………………72
谁与众不同……………………73
让足球滚下来的办法…………74
小猫钓鱼（一）………………75
小猫钓鱼（二）………………76

mu lu

谁敢下水游一游…… 77

脚印和鞋印…… 78

把鞋配成双…… 79

鞋子摆反了…… 80

沿着箭头指引的方向…… 81

上下左右…… 82

排队走…… 83

数字指路…… 84

盘中的胡萝卜…… 85

部分和全部…… 86

哈哈，这是谁摆放的餐具呀…… 87

上中下，左中右…… 88

正在天上飞的小朋友…… 89

是夏天还是冬天…… 90

添加水果…… 91

被风吹落的衣服…… 92

这三件衣服分别是谁的…… 93

哪一张是真花的照片…… 94

选衣服…… 95

晾衣架上的衣服是谁的…… 96

什么鼻子长长的…… 97

按要求画头像…… 98

相同的颜色…… 99

双彩虹…… 100

动物的本领…… 101

动物旅馆…… 102

妈妈最爱小宝宝…… 103

沙滩上的脚印（一）…… 104

沙滩上的脚印（二）…… 105

沙滩上的脚印（三）…… 106

找不同…… 107

海洋动物…… 108

再添加一个…… 109

先穿什么，后穿什么…… 110

一个桔子的变化…… 111

遮住的画面…… 112

海底世界（一）…… 113

海底世界（二）…… 114

春夏秋冬…… 115

在哪里

图中的小动物都在哪里呢？来说一说吧。

让孩子先观察画面上都有什么，然后用提问的方式，引导孩子观察小动物所在的具体位置，最后让孩子说一说小动物们分别在哪里。

这是谁的影子

左边是一些小动物的影子，右边有一些小动物，仔细看一看，找一找，连一连。

快与慢

、和在赛跑，说一说谁跑得最快，谁跑得最慢。

引导孩子观察速度快慢和位置前后的关系。要想在生活中培养孩子对快慢的比较能力，最直观和便捷的方法就是带孩子观察马路上的各种交通工具。

它要吃颜色鲜艳的胡萝卜

小兔子为什么坐在地上哇哇大哭呢？哦，原来它不吃没有颜色的胡萝卜，它要吃颜色鲜艳的胡萝卜！小朋友赶快帮小兔把胡萝卜涂上鲜艳的颜色吧。

涂色前先问问孩子胡萝卜是什么颜色的，它的叶子又是什么颜色的，再让孩子根据图例中的胡萝卜颜色挑选彩笔。

找出少了的那一块

哎呀，斑马的照片怎么少了一块啊。快找找，找出少了的那一块。

如果孩子选择正确，可以问孩子为什么不是另外一块，若孩子回答不出来，可以提示孩子：斑马有几条尾巴?

是谁偷吃了呢

熊妈妈做好了香喷喷的蜂蜜蛋糕，跟三个熊宝宝都打了招呼，说好了等大家都到齐了，一块儿吃。可是等大家都到齐了一看，蛋糕已经被咬掉了一块。是谁偷吃了呢？

先用讲故事的方式把孩子带入图中的情境，再引导孩子仔细观察熊宝宝。如果孩子看不出来，家长可以提醒孩子注意熊宝宝们的神态和嘴巴。

彩色的泡泡

小妹妹吹出的泡泡都是什么形状的呢？怎么都是白色的啊，一点也不好看，等我涂上色，就会好看啦。

有几个车轮子

小丑骑着独轮车，大哥哥骑着自行车，小宝宝骑着小童车。数一数，每辆车上有几个轮子，把轮子数量和下面花朵数量一样的用线连一连。

教孩子用手指点数的方式数数，通过实物帮助孩子认识1、2、3三个数字的含义。

要准备哪些东西呢

天气预报中出现以下图标时，要准备哪些东西呢？指一指，说一说吧。

先让孩子观察图标，说说是什么天气，再让孩子看看图标下有哪些物品，最后引导、启发孩子说出要准备哪些东西。

心·爱的礼物

小狗、小兔和小猫都收到了一份心爱的礼物，先用线把它们和礼物连一连，然后再学习用“……爱吃……”的句式说话。

斑点和条纹

这5条色彩鲜艳的小鱼，有的身上有斑点，有的身上有条纹。数一数带斑点和带条纹的鱼各有几条，说一说是带斑点的多，还是带条纹的多。

先引导孩子认知斑点和条纹各是什么样的，提醒孩子要集中注意力，在点数的时候不要有遗漏。

小猴请了哪些朋友

小猴邀请三位好朋友来树林里做客，它在桌上摆好了三位客人最爱吃的食物。你能猜出小猴请了哪三位朋友吗？

让孩子逐个观察餐桌上盘子里的食物，引导孩子想一想，这种食物谁最爱吃，由此进行推理。

经常会一起使用的物品

下面的哪两个物品经常会一起使用？找一找，指一指吧。

先让孩子观察图中的每一个物品，并逐个说一说它的用途。引导孩子思考，使用这个物品时，往往还需要配上什么物品一起使用。

皮毛上的图案

老虎、豹子、斑马、长颈鹿的皮毛上都有图案，下面的四个小格子中的图案分别是哪种动物身上的呢？看一看，连一连。

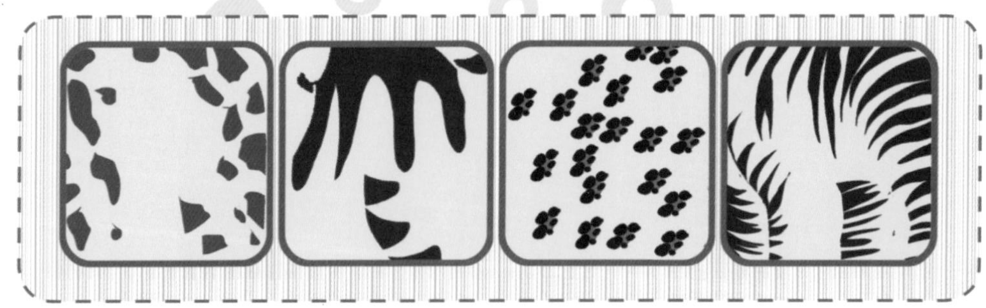

先让孩子观察四种动物的皮毛，提醒孩子抓住特征，然后再连线。

涂一涂，数一数，描一描，读一读

树叶空白的地方是大苹果，把它涂成红色吧，数一数，有几个，再把旁边圆圈里的数字描一描，读一读。

指导孩子按文字提示的步骤完成，帮助孩子感知树上的苹果数和圆圈里数字的联系。

发现昆虫

你去花园里玩过吗？这里不光有鲜花和绿叶，还有许多小昆虫，有的在飞，有的在爬，还有的一动不动。你发现它们了吗？

提醒孩子观察要按顺序，比如从上到下，从左到右；观察的时候要集中注意力，这样才会发现那些容易被忽视了的秘密。

向左走，向右走

小鸡向左走，小鸭向右走。小猪向左走，小狗向右走。哪边是左？哪边是右呢？

分清左右对孩子来说非常困难，不要强求孩子掌握。家长可提醒孩子注意小动物的头以及脚印的朝向。

哪个轻，哪个重

把一条毛巾叠起来，装进一个袋子，把两本书装进另一个袋子，分别提一提两个袋子，感觉一下哪个轻，哪个重。在图中重的袋子边上画一个圆圈。

家长应把装袋子的过程演示给孩子看。书大手小，装书由家长代劳。两本书的重量，以让孩子明显感到比毛巾的手感重为宜。

吃力的样子

谁提着的桶重？你怎么知道的呢？能说一说吗？

跷跷板

六个小动物在玩三个跷跷板，结果跷跷板翘起一头后就下不来了。你能看出三个跷跷板哪边的小动物重，哪边的小动物轻吗？

如果孩子感到困难，家长可以告诉孩子，重的东西因为沉而不容易被翘起来，而轻的东西容易被翘起来。

谁最重，谁最轻

图中有四个小动物在玩跷跷板，把它们从轻到重排个顺序，再说一说谁最重，谁最轻。

引导孩子从上往下把三个跷跷板两边谁重谁轻搞清楚，再进行排序、推理，看看谁最重，谁最轻。练习过程中，家长要有耐心，方法要科学。

谁在做什么

先看图，再回答谁在做什么，仿照“老爷爷在浇花”的句式，说出另外三幅图的内容。

正面和背面

图的上部分是几个小动物正面的样子，图的下部分是它们背面的样子，你能从背面看出是哪一个小动物吗？连一连吧。

提示

提醒孩子注意从小动物正面的体态轮廓及衣着上，想象背面的样子，再找背面体态轮廓及衣着能对应的连线。

从背后看不到什么

从正面看，两个小朋友的眼睛、眉毛、鼻子、嘴巴、耳朵都能看到，要是从背后看，有没有看不到的？把看不到的指出来。有没有能看到的？把能看到的指出来。

如果孩子想象不出来，家长可以演示给孩子看，要善于形象生动地对孩子进行引导、启发。

有好多圆圆的

图中有好多圆圆的，你发现了吗？快来找一找，说一说都是什么。注意：一定要把全部的圆找出来哦！

提醒孩子要按一定的顺序仔细观察。当然，也可以用创造性的方法，比如用一张纸蒙住画面一点点往下拉，逐行扫描。

摆倒了

玩具柜中一些玩具摆倒了，把摆倒的玩具指出来，并用“玩具××摆倒了”的句式说出来。

提醒孩子按照从上到下，从左到右的顺序看图，指出摆倒的玩具，再经家长示范后，说出“玩具××摆倒了”的完整句子。

怎么走才安全

小白兔要去拔萝卜，怎么走才安全呢？请帮它找出一条安全的路，并用手指沿这条路“走”一次。

帮小猴涂房顶

小猴在刷房顶，它累得涂不动了，就站在房顶上叫：“小朋友，来帮我涂吧。这很容易的，按照我的顺序涂就行了！”哈，它在叫你呢，找出你的彩笔来帮它吧！

家长边读文字边结合图，帮孩子了解文中的任务要求。重点是引导孩子去发现小猴涂的顺序，并找出相应颜色的彩笔。

刷好后是这样的

小熊在给房子的门刷颜色，刚刷好了半个门，你知道剩下的半个门它会刷什么颜色吗？全部刷好后是什么样子呢？从下面的小图中找出来。

引导孩子观察，小熊手中提着的桶里装的是什么颜色，手中刷子上蘸的是什么颜色，最后让孩子找出刷好后的门。

分西瓜

小猴和小熊，要分大西瓜，请你选条线，切开两边一样大。好好比一比，用笔画一画。来吧！

按图中的三条虚线都可以分西瓜，但要两边一样大，就要通过仔细比较再做出判断。要让孩子明白，从正中间分开两边才会一样大。

请到树上来就餐

淘气的小猴把小狗和小猫的食物绑在了树杈上，它冲着树下喊："朋友们，请到树上来就餐！"小狗和小猫怎么办呢，帮它们想想办法吧。

地上的梯子如果被孩子忽视，家长需提醒孩子：梯子有什么用呢？猫会爬树而小狗不会，如果孩子不知道，就讲给孩子听。

近和远

哪棵白菜离小猪近？请用黄笔圈起来；哪棵白菜离小猪远？请用红笔圈起来。

宽和窄

体育场的跑道真宽啊，八个运动员可以并排跑；平衡木太窄了，小运动员站在上面直晃悠。图中两把尺子，哪一把宽，哪一把窄呢？指一指，说一说。

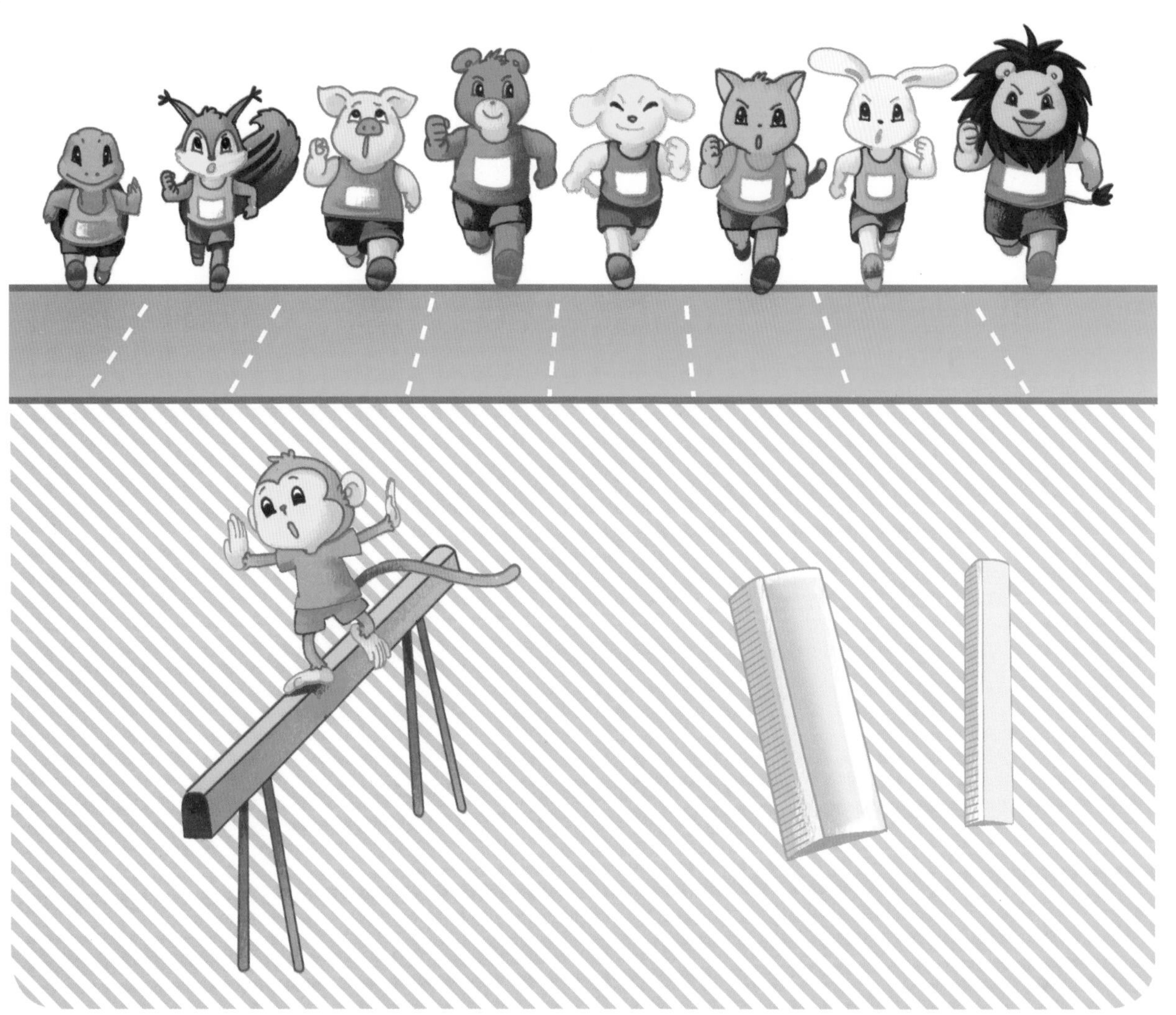

合二为一

下面的六张图片，能拼成一架飞机、一辆巴士和一艘轮船。请用笔把能拼合在一起的图片连一连。

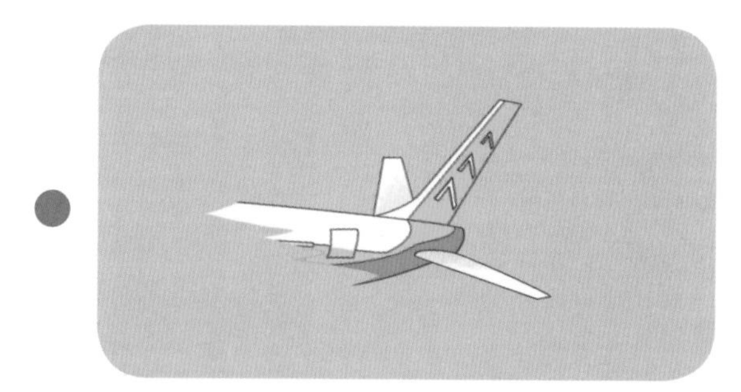

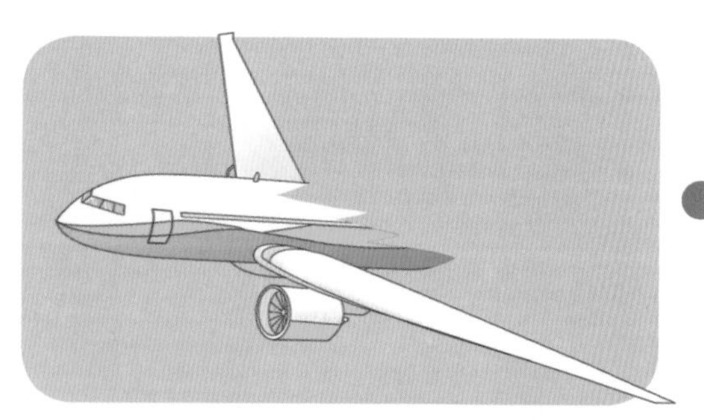

如果孩子感觉有难度，家长可以从颜色和形状的角度进行引导，看两边的图在颜色上是否统一，形状能否吻合。

你要向谁学

图中的小朋友都在做什么？说说谁做得对，谁做得不对，你要向谁学？

小猴把球怎么了

看图，分别说一说小猴把球怎么了？

引导孩子逐一观察每只小猴，并回答问题。家长可先示范一个，如“小猴把球顶在头上”，再让孩子模仿说说其他两幅图。

好玩的手影

图中的手影好玩吗？说一说分别像什么，用线连一连。你的小手也能做出手影哦，请爸爸妈妈教教你吧。

经常动手不但能使孩子的小手变得灵巧，还能促进其身心发育。小手开始时不太听使唤，但多加练习的话，一定会越来越棒。

学几个量词

看图，跟爸爸妈妈读一读：一条鱼，一只鞋，一本书，一棵树，一片树叶，一架飞机。

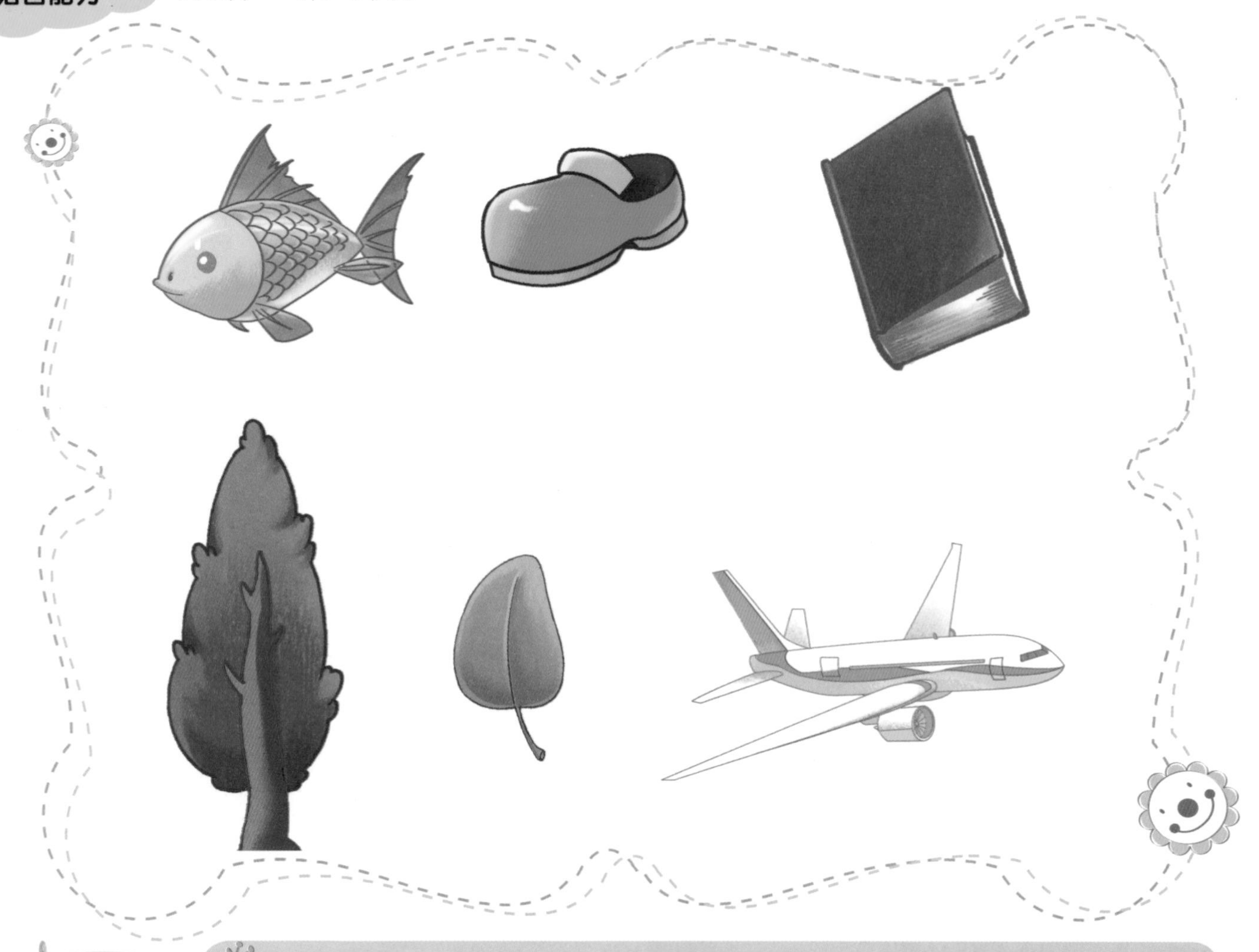

提示

家长要充分利用日常生活中接触的东西，让孩子自然地学习量词，规范地使用量词。

一双有几只

下图中有一双手套，一双袜子，一双鞋。请你数一数，一双有几只。

认知能力

家长可指着图片，说这里有“一双手套”，然后让孩子点数，说说有几只。一双有两只，本次互动让孩子认知到这一点即可。

一双鞋

图中有好多漂亮的小鞋子，其中有两只能配成一双，请把这两只鞋子圈起来。

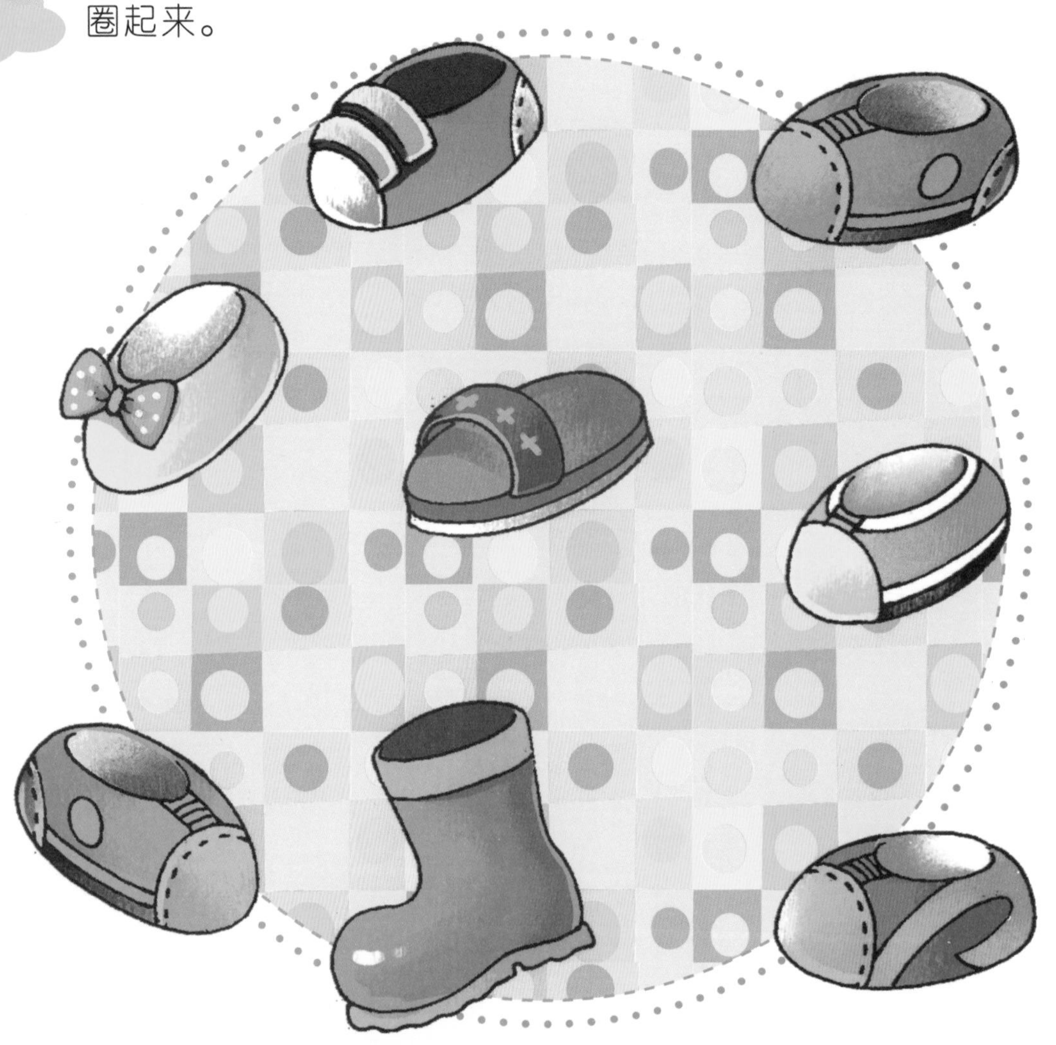

先提醒孩子注意，两只鞋子样式、颜色、大小一样才能配成一双，然后让孩子集中注意力去比较并找出。鞋分左右的问题不要涉及。

画一画，比一比

画一个比图例1大的苹果。画一个比图例2小的西瓜。

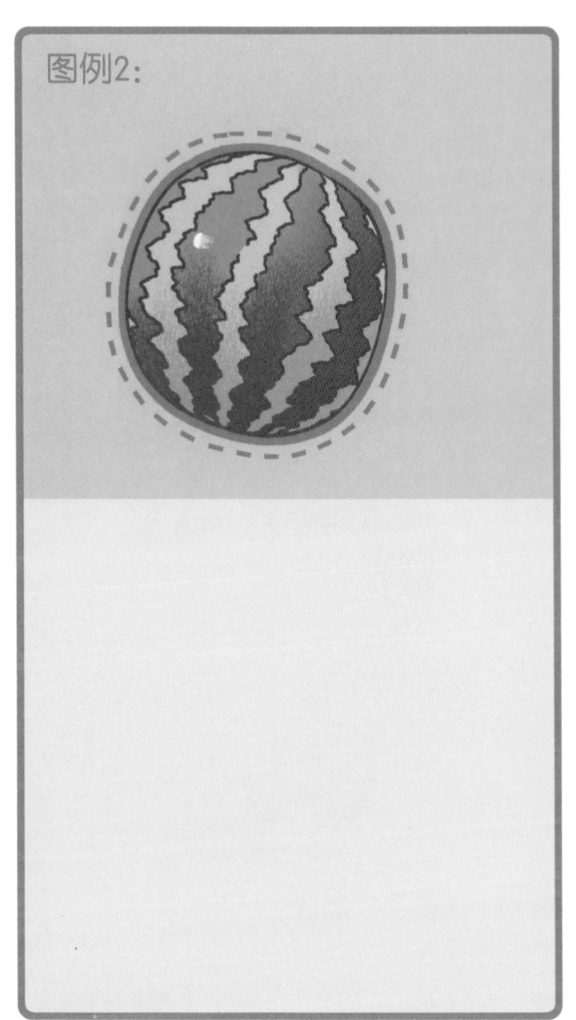

男和女

指一指，说一说，图中的小朋友，哪些是男孩，哪些是女孩？你是男孩还是女孩呢？

引导孩子对性别的认知，可从家人开始。对性别的区分，可从发型和衣着的基本特征上来把握。

物品和包装盒

上排图中的物品分别是从下排图中的哪个包装盒里取出来的？连一连，说一说。

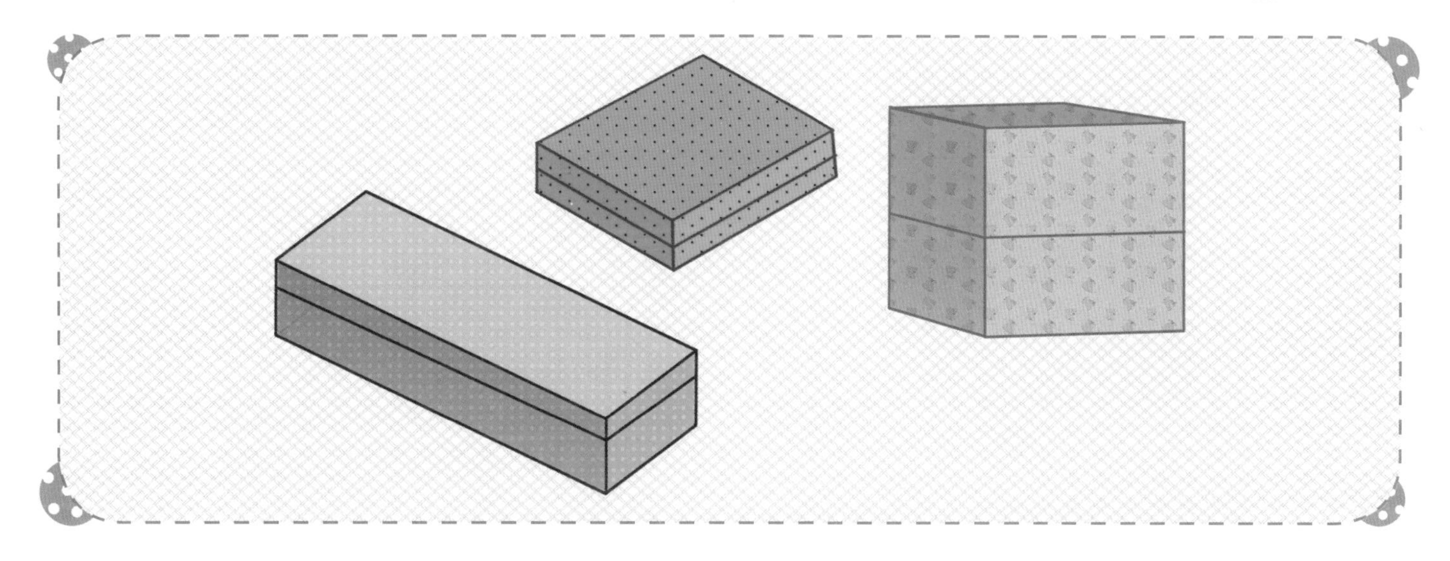

可以先用实物演示给孩子看，并让孩子明白，包装盒一定要能装下相应的物品。

按要求涂色

按要求涂色，一定要注意，不要涂错哦。

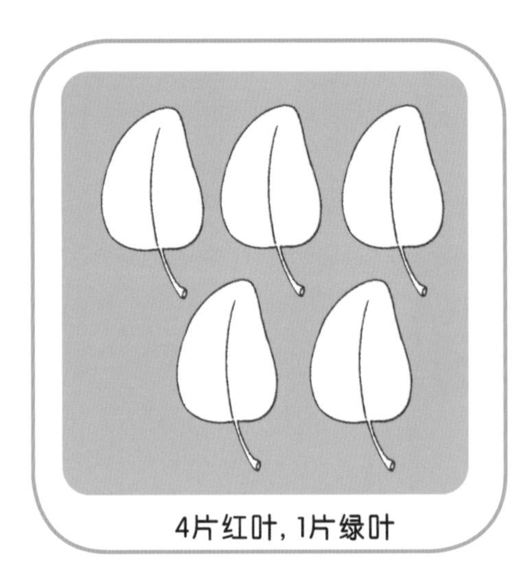
4片红叶，1片绿叶

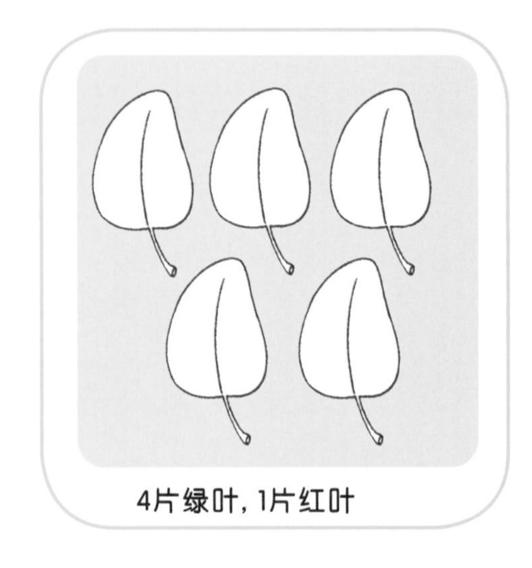
4片绿叶，1片红叶

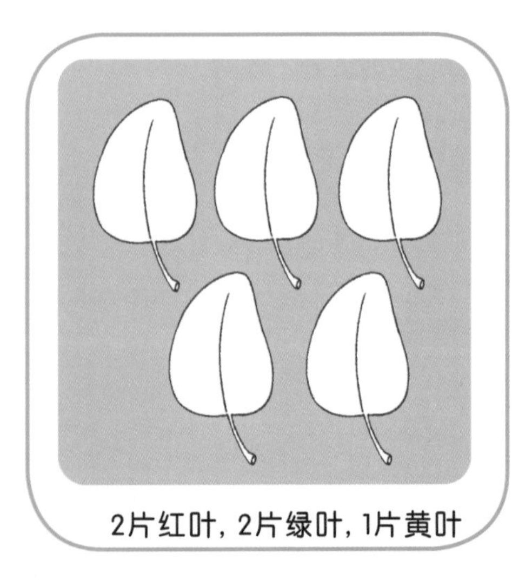
2片红叶，2片绿叶，1片黄叶

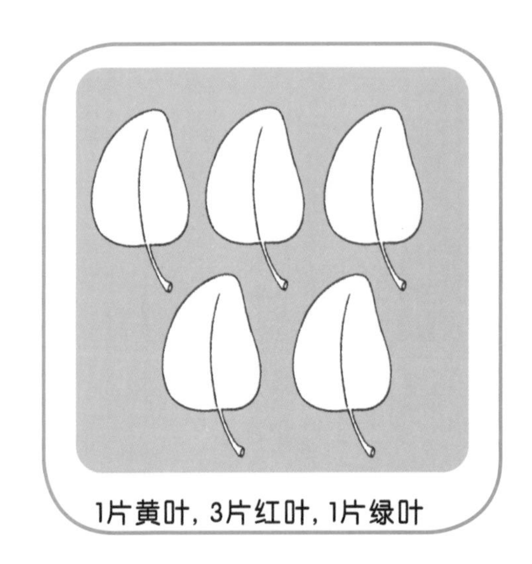
1片黄叶，3片红叶，1片绿叶

叶片上的瓢虫

叶片上的瓢虫多可爱啊，画这幅画要用哪几种颜色的彩笔呢？把它们圈起来吧。

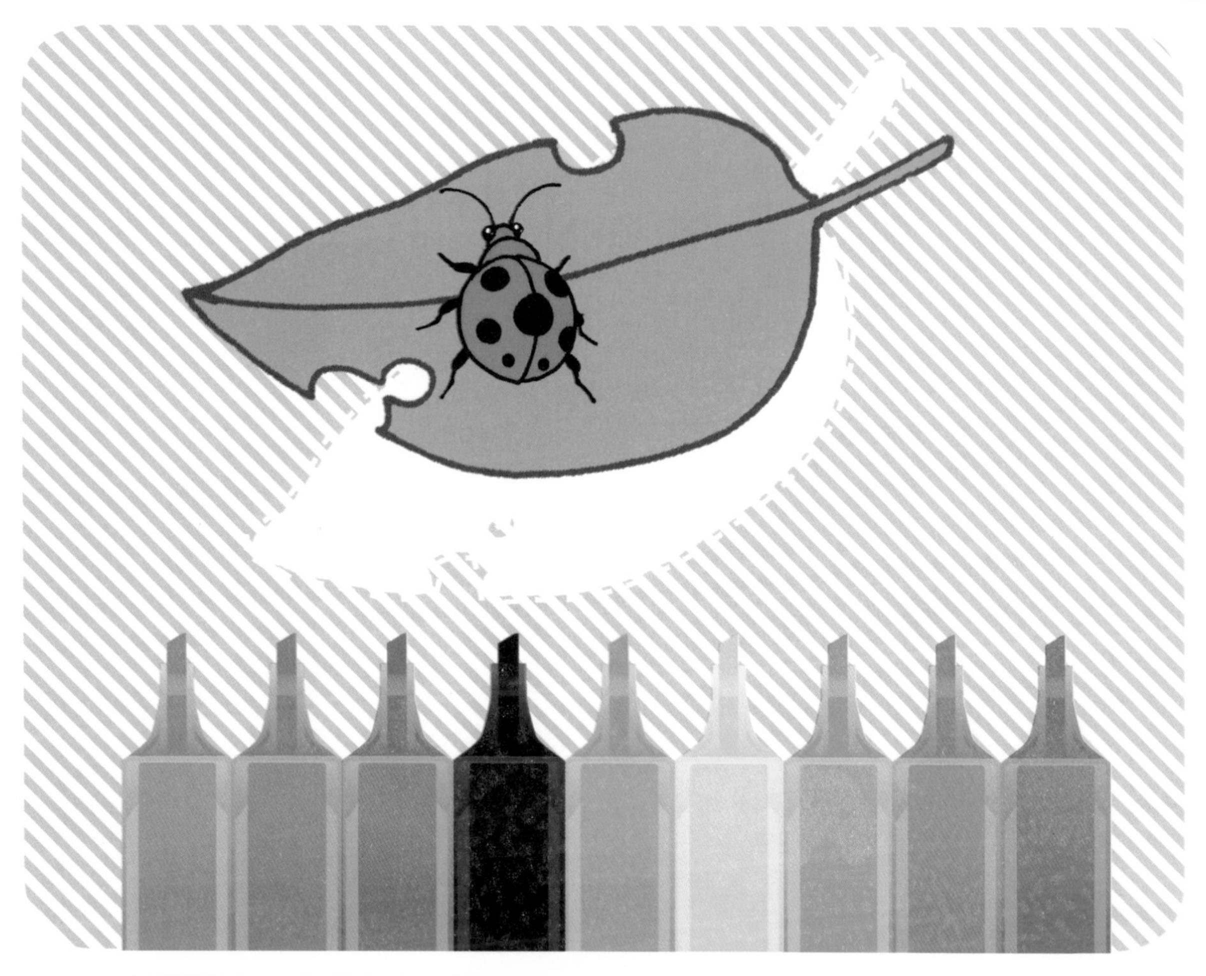

先让孩子看图中用到了什么颜色，然后再在下面找出同样颜色的彩笔圈起来。

厚与薄

比较一下，看哪个厚，哪个薄，把厚的那个圈起来。

两个孙悟空

图中两个孙悟空身上有三个地方是不一样的，请你指出来。

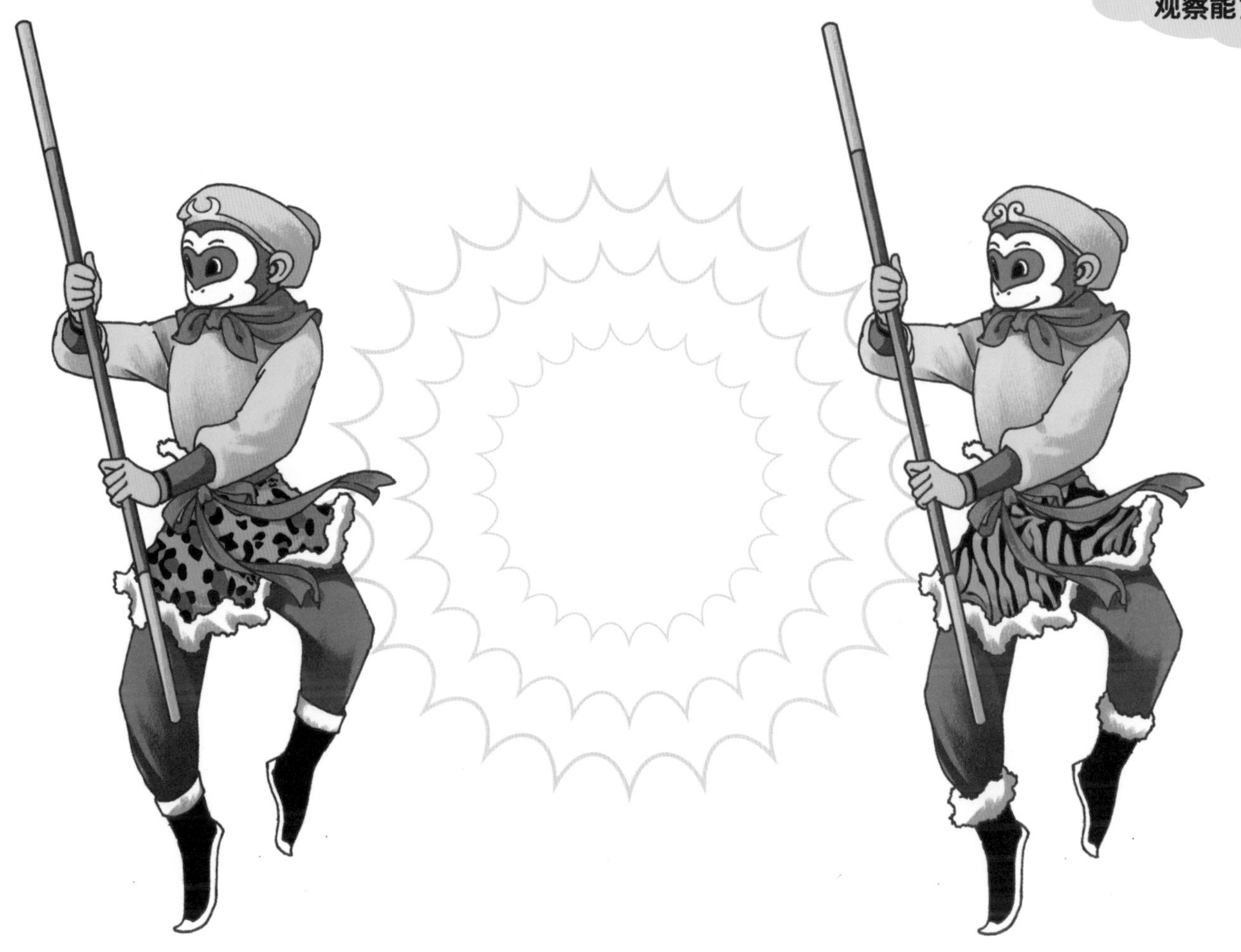

答案：头上的金箍、兽皮裙、靴子。

左手和右手

对照图，你能分清你的两只手哪一只是左手，哪一只是右手吗?

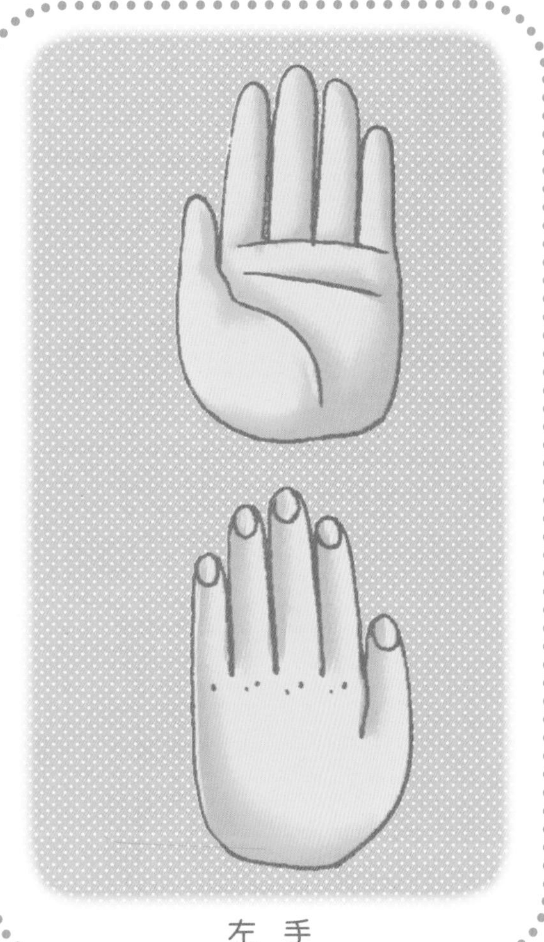

左　手

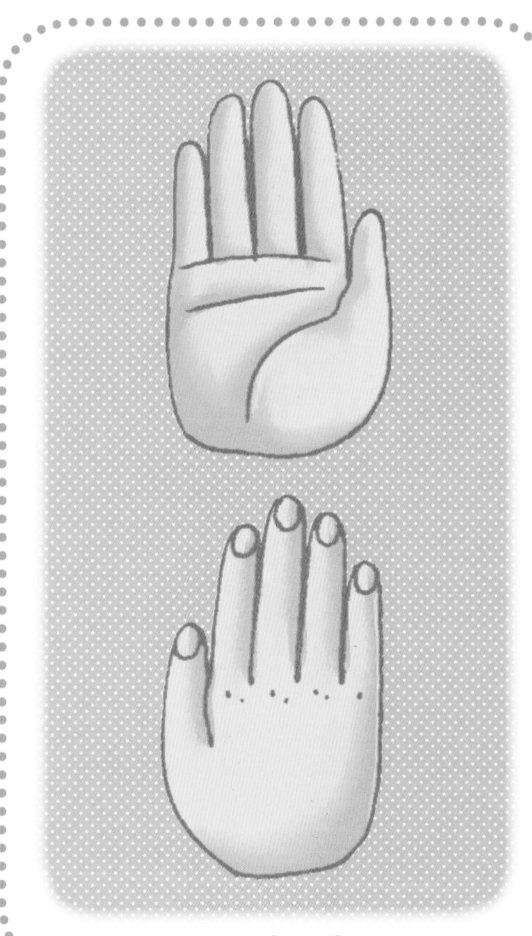

右　手

先教孩子分清自己的手背和手心。对照图的时候，让孩子把手放在图旁，手背要与手背比较，手心要与手心比较。

哪一个图形没用上

右边漂亮的小房子是用左边的图形拼成的，不过，有一个图形没用上，请你把它找出来。

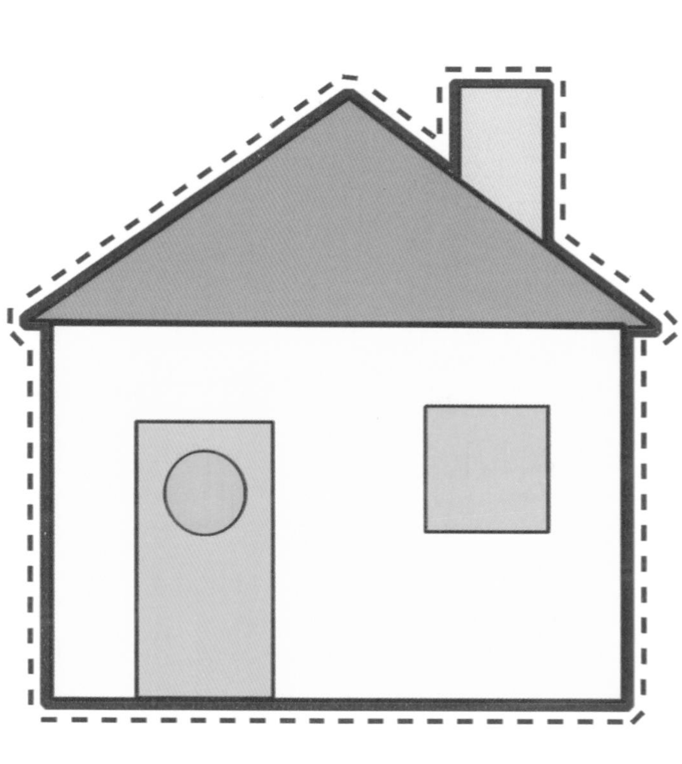

解决问题的方法很重要。可引导孩子从小房子上的图形着手，一个一个地在左图中找到并圈起来，最后剩下的那个图形就是没用上的。

大公鸡，危险

大公鸡要到河这边来，想一想，它是不是很危险，走哪座桥安全呢？请你帮它指出来，并向它喊话：“大公鸡，危险，走这边！”

提醒孩子比较两座桥的宽与窄，引导孩子思考，如果大公鸡从窄桥上走，会不会有掉到河里去的危险。

小象的跷跷板

两头小象要玩跷跷板，请你帮它们挑一个结实的，你会挑哪个呢？

先告诉孩子，小象比一般小动物都要重得多，板不结实就会被压断，然后引导孩子观察比较两个跷跷板，看有什么不同，最后找出板厚的那个。

按规律涂颜色

每组图形的颜色排列都是有规律的，请按规律给空白的图形涂上颜色。

先引导孩子观察图中颜色的排列规律，再完成涂色。提醒孩子看图时，要按照从左往右的顺序，逐个看，连续看。

怎样才能玩起来

跷跷板的两边要一上一下才好玩，可是图中的跷跷板一边上去后就下不来了，怎样才能玩起来呢？

告诉孩子跷跷板两边要差不多重，这样才能一上一下玩起来，引导孩子对两边动物的数量进行调整。

应该谁跟谁玩

小松鼠和大象玩跷跷板，可是它们根本就玩不起来，请你帮它们想一想，应该谁跟谁玩，才能玩得起来。

先让孩子比较小松鼠和大象的体重，再引导孩子看一看，能不能把体重大小相当的动物分在一起玩。

语言能力

尾巴画错了

图中小动物的尾巴画错了，请指出来，说一说应该是谁的尾巴。

让孩子先确认是哪个小动物，再注意观察它的尾巴，引导孩子用“这不是小兔子的尾巴，这是小猴子的尾巴”的句式说出来。

照片中的小朋友

左图是一位小朋友的照片，请在右面的大图中找出照片中的小朋友。

先引导孩子观察照片中小朋友的模样，记住包括发型、服装在内的特征，然后蒙住照片，让孩子在大图中找出来。

串彩珠

根据每串珠子的颜色排列顺序，把空白的珠子涂上颜色。

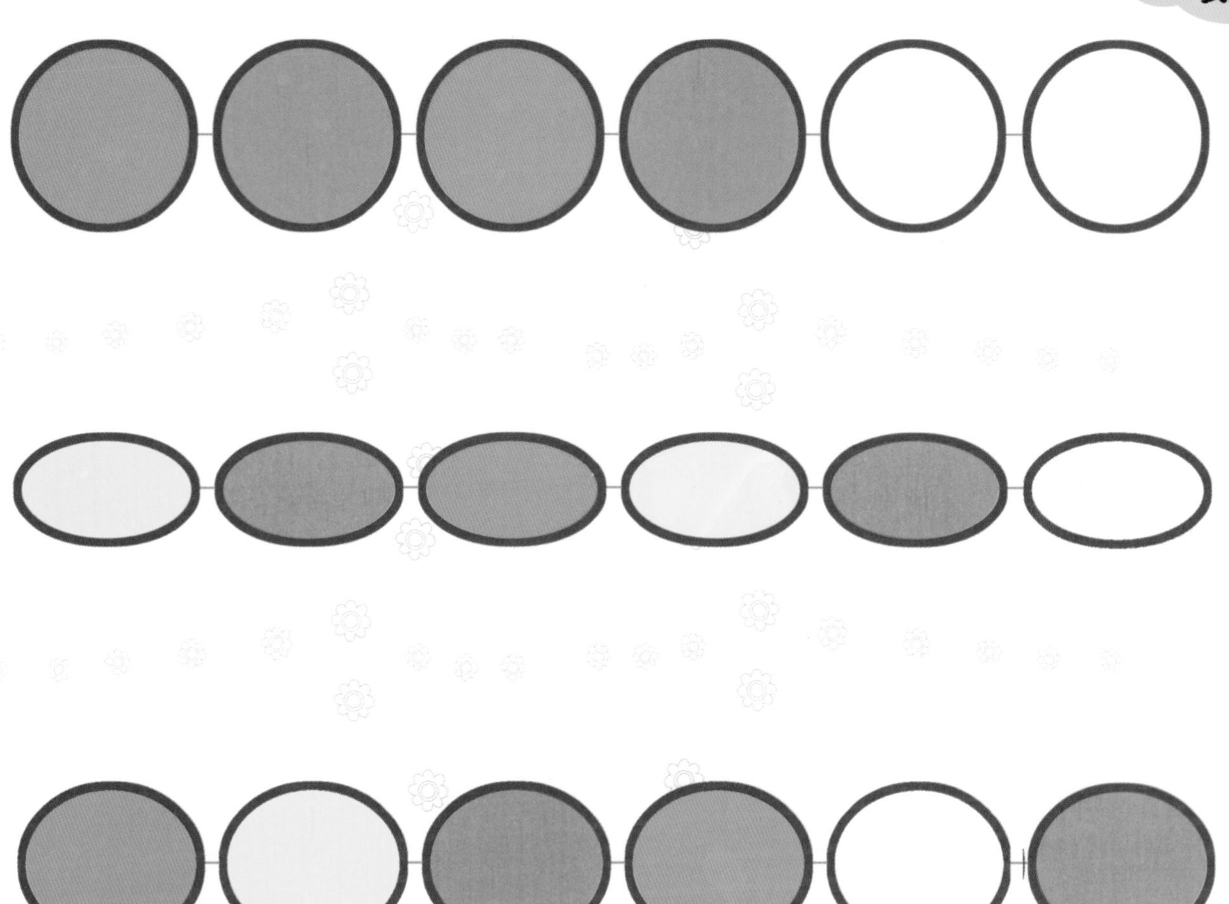

多少级台阶

小兔坐在多少级台阶上？它的篮子放在多少级台阶上？小猫坐在多少级台阶上？它的鱼篓放在多少级台阶上？谁坐的地方高？指一指，说一说吧。

提醒孩子既可以从上往下一级一级地数出来，也可以根据台阶上的数字直接读出来。

谁看得更远

一只小猴站在大象背上，一只小猴抓着长颈鹿的一对角，骑在它的长脖子上。哪一只小猴看得更远呢？

提示 日常生活中可利用上楼、坐观光电梯、爬山等机会，帮助孩子感知什么叫“站得高，看得远”。

对与错

图中的小朋友分别在做什么？谁做对了，谁做错了？指一指，说一说吧。

颜色错了

一位小朋友画了三根胡萝卜和半个西瓜，可是因为粗心大意把颜色涂错了。你知道错在哪里吗？请你在下面的图中涂上正确的颜色吧。

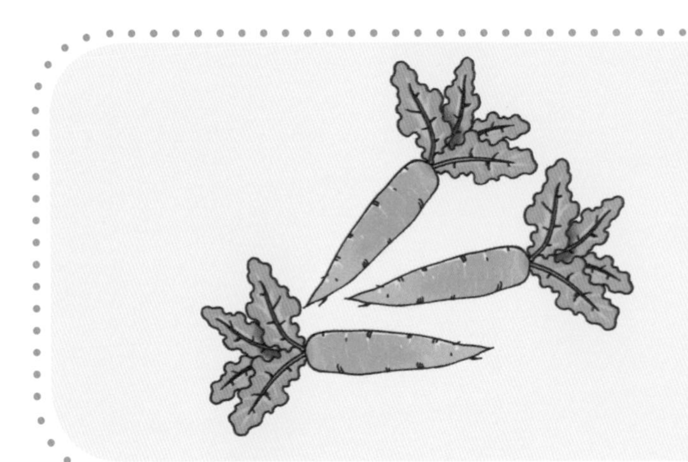

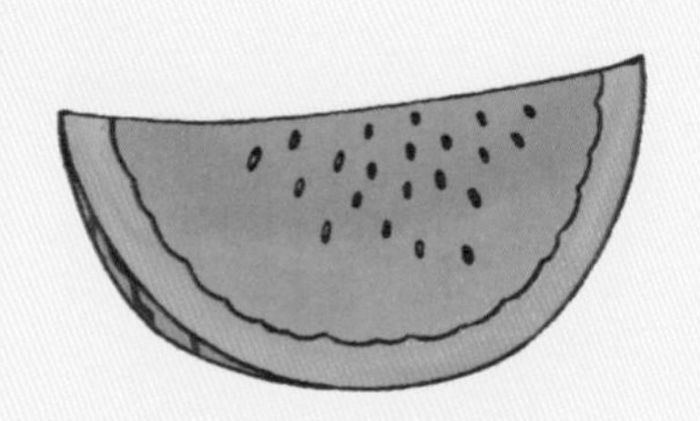

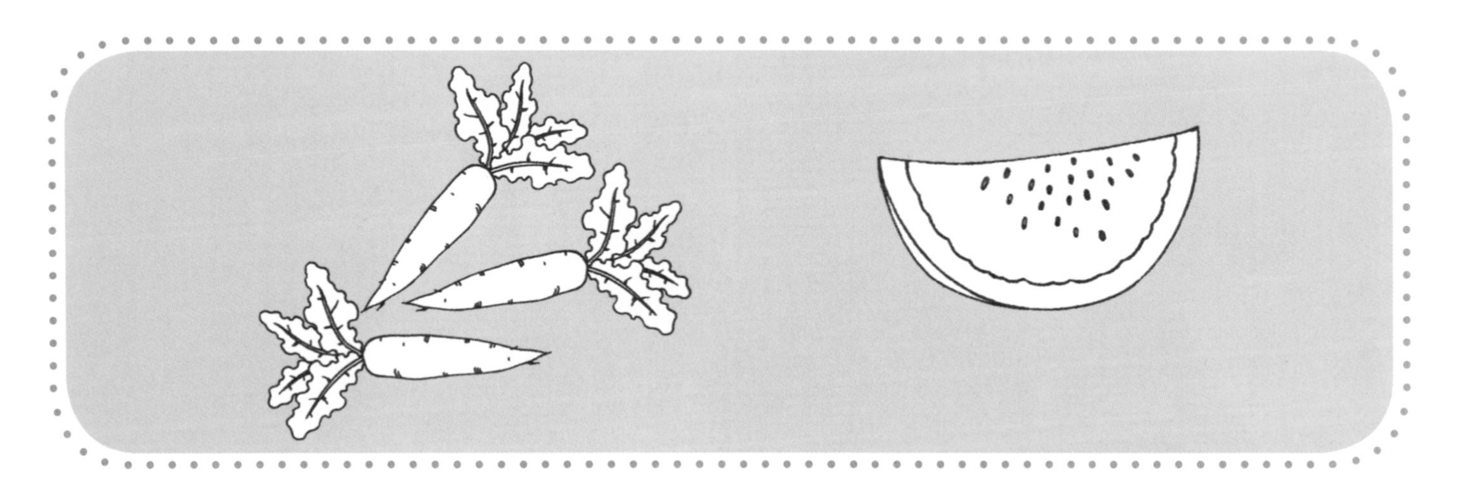

提示　先让孩子回忆胡萝卜和西瓜是什么颜色的，再和图中的进行比较，引导孩子发现图中的错误。

新来的朋友

图的上部分画的是：苹果宝宝、梨子宝宝和桃子宝宝手拉手。图的下部分新来了一位朋友，叫山竹宝宝，请你找出它来认识一下。

让孩子先看图的上部分，再看图的下部分，提醒孩子把图的下部分已经认识的水果宝宝都一个一个圈起来，最后剩下的就是山竹宝宝。

去皮后与去皮前

图中的水果有桔子、荔枝、香蕉和山竹，都是去了皮后的样子，你还认识吗？把它们和它们去皮前的样子用线连一连吧。

提示　日常吃这些水果的时候，要把水果去皮后的样子给孩子看一看，以帮助孩子积累感性认识。

小汽车的轮子

图中的小汽车画了几个轮子呢？除了看得见的轮子，它还有没有轮子？如果有，有几个呢？小汽车一共有几个轮子呢？想一想，说一说。

引导孩子想象小汽车另一边的样子。如果孩子无法想象，家长可用玩具小汽车或实物小汽车来帮助孩子形成对小汽车两边样子的整体印象。

近处和远处

牛羊在吃草，马儿在奔跑。清清楚楚是近处，模模糊糊是远处。请你说一说，谁在近处，谁在远处。

要认知近处和远处，需要借助视野开阔的空间，带孩子登高望远或置身空旷开阔处远眺，是感知近处和远处的最好方法。

小鸡出壳了

小鸡在蛋壳里，从外面看不见。小鸡从里面把蛋壳啄了个小洞，露出了小嘴尖；蛋壳上出现了裂纹。蛋壳破了，看到小鸡了。小鸡出壳了！按照这个顺序，给图片标上1、2、3的序号吧。

提示

家长读文字时要慢，要分句读，让孩子在理解文字说明的基础上找出对应的图片，并标上序号。

小猪好糊涂

小猪好糊涂，摸黑来贴画。天亮再来看，差点笑掉牙：斑马脚朝天，大树头冲下。小猪忙捂嘴，害怕笑掉牙。

提示 先引导孩子仔细观察图中的贴画，找出贴倒了的两幅。在结合图中内容教孩子读儿歌的时候，家长可以问孩子：小猪为什么忙捂嘴？

雨天出门

外面下雨了，请你提醒一下要出门的小朋友，跟他说："下雨了，要穿戴好……"穿戴好什么呢？先从下面找一找再告诉他。

提醒孩子下雨天出门要穿戴好雨具，再引导孩子从图中的物品中找出雨具（雨衣和雨鞋），并按照文中要求说话。

两条腿和四条腿

数一数，想一想，说一说图中的动物分别长了几条腿。

提醒孩子，因为观察角度的问题，我们所看见的腿的数量往往与实际数量不相符，因此只数一数还不行，还得想一想。

适合男孩还是女孩

下面的物品中有的适合男孩，有的适合女孩。请你分别指一指，说一说，哪些适合男孩，哪些适合女孩。

周围小男孩、小女孩平时的穿着打扮及手中玩具都会在孩子的记忆里形成一定的认知，帮助孩子做出正确的判断。

有些地方不能独自去玩耍

说一说图中的小朋友独自玩耍可能会有什么危险。

家长要从小对孩子进行安全常识教育，培养孩子的自我保护意识。

气球向着太阳飘

最上面的圆形涂上红色，外面再画上图例中的短线，就变成放光的红太阳了。下面的几个圆形涂上各种颜色，再在下面画上图例中的线，就变成好看的气球了。试一试吧。

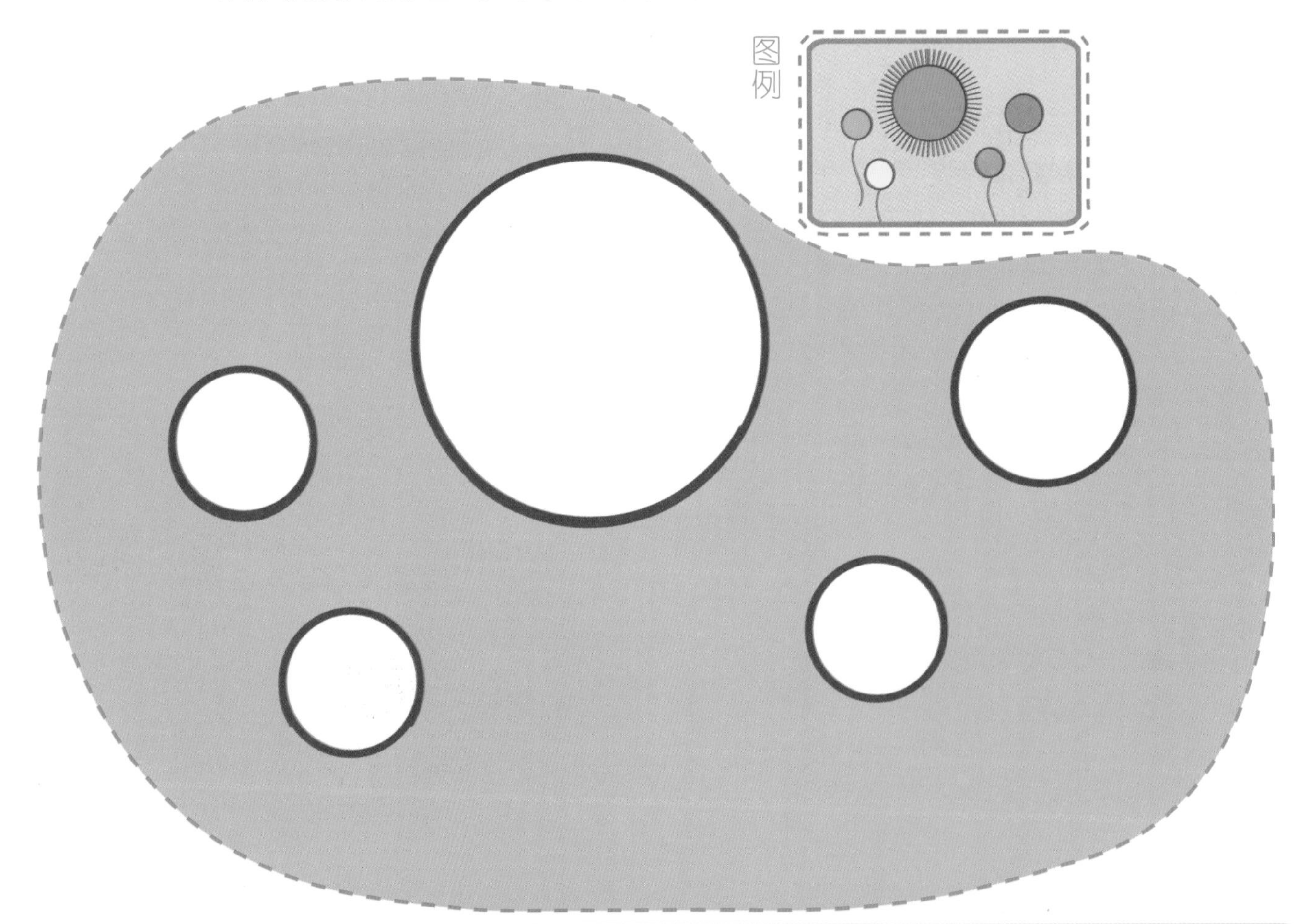

提醒孩子注意太阳的光是在圆外放射的，而气球的线系在气球下面。引导孩子将图例中的短线画在圆形的正确位置。

谁与众不同

图中的小朋友排成了两个队。每队中都有五个小朋友，其中有一个小朋友和其他小朋友不同，你能找出这个小朋友吗？

提示

如果孩子判断有困难，家长可以提醒孩子注意小朋友是男孩还是女孩，从左到右逐个看，这样孩子判断起来就会容易得多。

让足球滚下来的办法

小朋友想踢足球，可是足球在书橱顶上，怎么办呢？快帮小朋友想一想让足球滚下来的办法，办法越多越好哟。

提醒孩子注意观察图中除了书橱和书橱上的足球，还有什么东西，这些东西能不能帮助小朋友让足球滚下来呢？

小猫钓鱼（一）

两只小猫坐在水边钓鱼，因为坐得太近，水下的钓线乱糟糟地缠在了一起。你能不能看出哪只小猫会钓上鱼来？

提醒孩子分别顺着两只小猫手中鱼竿上的线，一直找到鱼钩，就会发现哪只小猫钓到了鱼。

小猫钓鱼（二）

两只小猫坐在水边钓鱼，因为坐得太近，水下的钓线乱糟糟地缠在了一起。现在不允许你顺着鱼线慢慢地找，你能不能根据钓线的颜色，很快发现哪只小猫会钓上鱼来？

如果孩子感到有难度，可提醒孩子先看两根钓竿上钓线的颜色，再看水中钩住鱼的钓线颜色，钓线颜色相同的那只小猫能钓到鱼。

谁敢下水游一游

池塘周围站着几个小动物，池塘里有一条小鱼跳出水面，它向池塘边叫道："岸上的朋友们，你们谁敢下水游一游啊！"是啊，谁敢下水游一游呢？请你告诉小鱼吧。

先告诉孩子，要下水游一游必须会游泳，再提醒孩子把池塘周围的小动物逐个看一遍，想一想哪些会游泳并作出回答。

脚印和鞋印

图左侧是左脚印和左鞋印，图右侧是右脚印和右鞋印。请分别指一指，说一说，哪是脚印哪是鞋印，并分清自己的左右脚。

可让孩子在地板或细沙上踩出脚印和鞋印，通过观察比较，帮助孩子认知。告知孩子，左手左脚在身体的同一边，右手右脚在身体的同一边。

把鞋配成双

图中心部分的鞋子正好是一双，可以穿在两只脚上；图两侧的鞋子并不是一双，怎么调整才能变成两双鞋呢？请说一说，连一连。

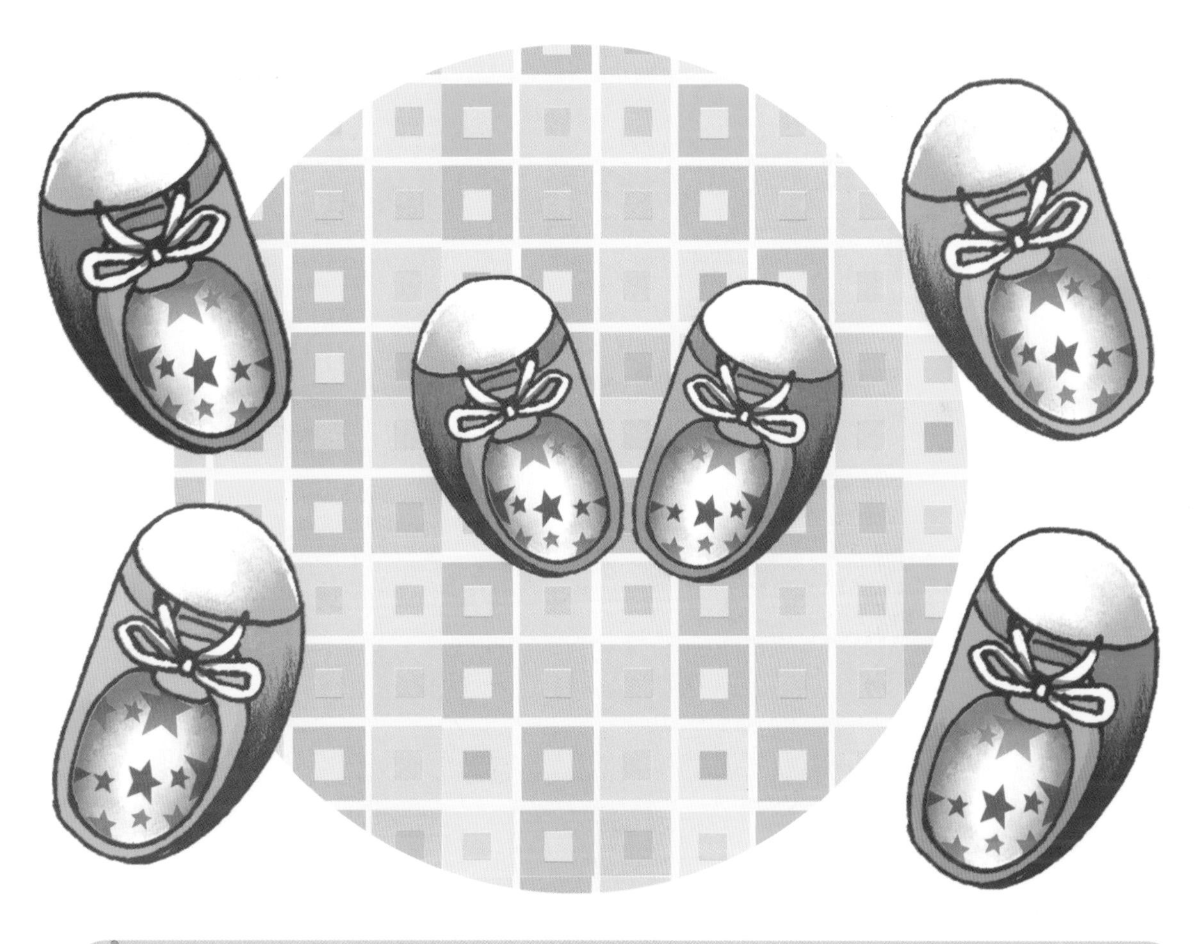

先要让孩子知道，鞋分左右脚，必须是一只左脚的鞋和一只右脚的鞋在一起才能算一双鞋。可以用实物帮助孩子学会分辨左右脚的鞋。

鞋子摆反了

两个小朋友摆好了鞋，准备比赛看谁穿鞋穿得快。可是一个小朋友的鞋子摆反了，请你指出来，说说应该怎么摆。

提醒孩子注意观察脚和脚边的鞋子方向是否一致，引导孩子想象，如脚伸进鞋子是不是正好吻合。

沿着箭头指引的方向

草丛中的小路就像迷宫一样，有的路根本就走不通，只有沿着箭头指引的方向才能走出去，用手指画一画，看是不是这样。

上下·左右

火箭点火后向上升起。翠鸟向下扎进水里。小鹿和小羊在路口分手后，小鹿向右边走，小羊向左边走。请把图中表示方向的箭头线描一描，再说一说吧。

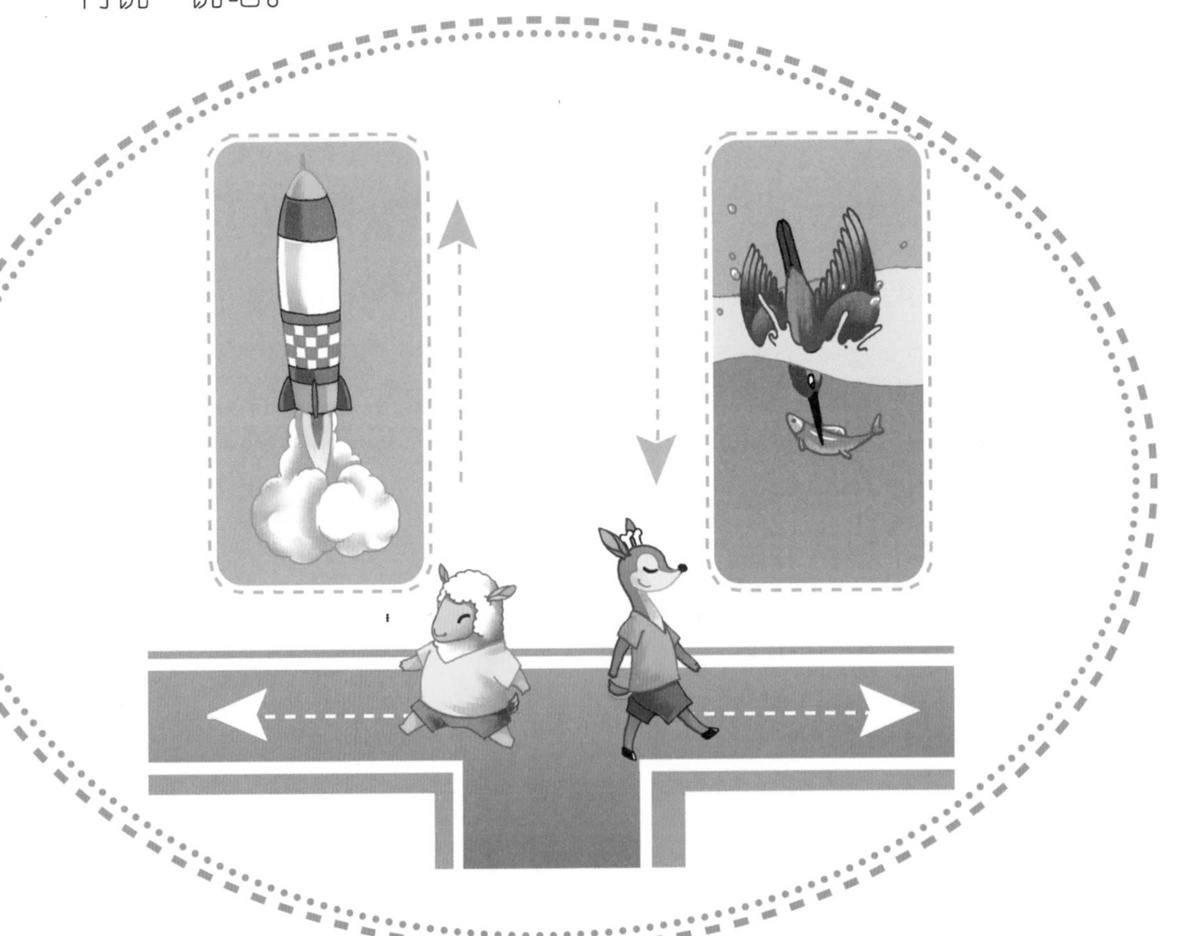

要求孩子在描的同时说出“向上”、“向下”、“向右”、“向左”。

排队走

图中的小动物都拿着数字牌，它们应该按照1、2、3、4、5的顺序排队往前走，可是它们把队排错了。请你用带箭头的线，把小动物们指引到路边的五个空位子上，让它们按顺序排好队。

数字指路

“1、2、3、4、5，1、2、3、4、5……”小鹿只有沿着这不断重复的数字往家走，才能安全回到家。请你用绿色的笔把这条路涂上颜色。

通过不断重复，帮孩子记住1～5五个数字并感知其中的序数意义。待孩子完成练习后，可提出“如果不按这条路走会怎么样”的问题让孩子回答。

盘中的胡萝卜

先看图，再给图编上1、2、3、4的序号，然后按照这个顺序说一说发生了什么事。

家长可以用提问的方式引导孩子进行想象、推理，排定四张图片的先后顺序。

部分和全部

下面每幅图上画的都是水果的一部分，你能根据这一部分判断出画的是哪种水果吗？哪两幅图可以拼合成一个完整的水果呢？请连一连。

家长在日常生活中引导孩子认知物品时，要提醒孩子注意抓住物品的特征。

哈哈，这是谁摆放的餐具呀

哈哈，这是谁摆放的餐具呀，太搞笑了吧！请你指一指，说一说应该怎么摆。

上中下，左中右

图中的玩具柜分上、中、下三层，请把每一层指出来。已经摆上玩具的是哪一层？这一层从左向右数的第三个格子中是什么玩具？

先帮助孩子分出上、中、下三层，然后在摆上玩具的中层分出左、中、右三格。

正在天上飞的小朋友

大胆地想，大胆地画，画几个正在天上飞的小朋友。

不要给孩子任何束缚，让孩子自由想象，放手去画。如果孩子只是画小朋友，也可提醒一下：天上还会有些什么呢？

是夏天还是冬天

根据两幅图中的场景，说一说是夏天还是冬天。

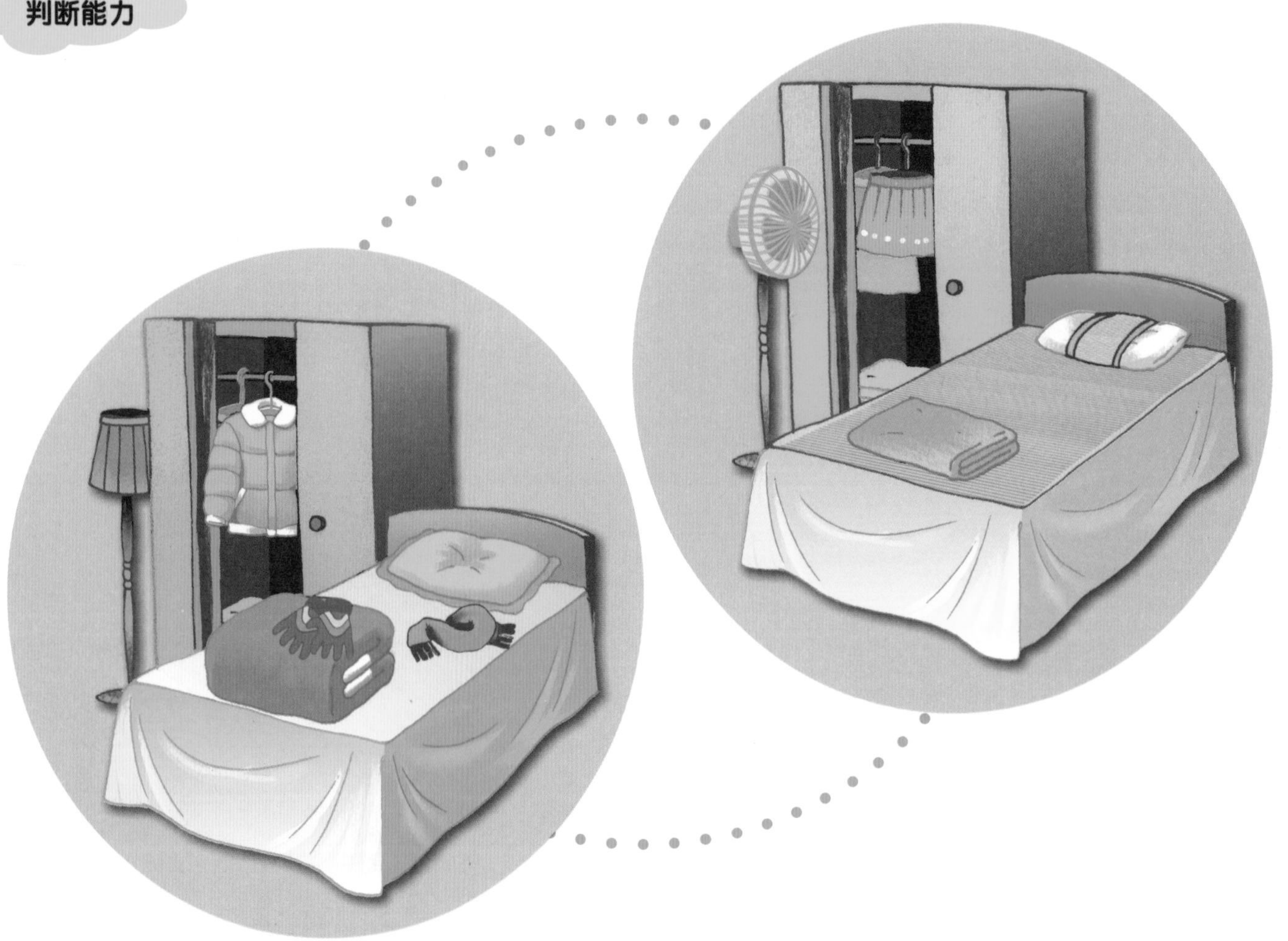

先引导孩子思考，因为夏天热，人会怎么样，因为冬天冷，人又会怎么样，然后再结合图中的内容进行判断。

添加水果

下面四幅图中各有一种水果，请按照要求在图中添加水果（仿照图中的水果画出来），添加完后再数一数变成了几个。

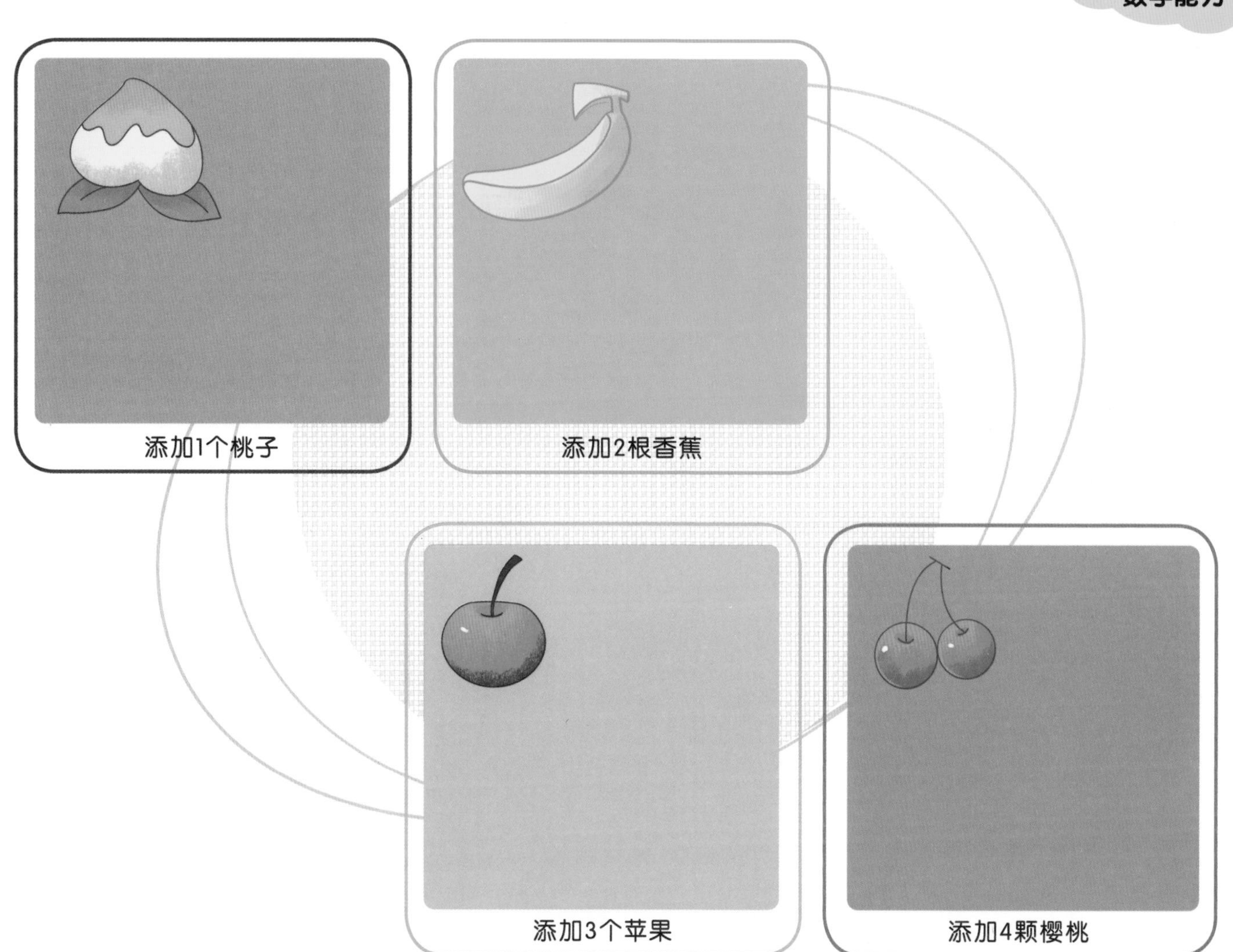

被风吹落的衣服

晾衣杆上的衣服被风吹落在地上了，你能看出地上的衣服是晾衣杆上的哪一件吗？请用线连一连。

提醒孩子注意，落在地上的衣服虽然看上去形状变了，但是颜色不会变，款式及图案的某些特征也不会变。

这三件衣服分别是谁的

三个小朋友在踢球，他们踢热了，就把外面的衣服脱下来，扔在草坪上了。你能看出这三件衣服分别是谁的吗？

先让孩子看右面的衣服，注意它们长短、大小、颜色的不同，再让孩子观察在草坪上踢球的三个小朋友的身材，最后逐一指出衣服是谁的。

哪一张是真花的照片

图中有三张花朵的照片，其中只有一张是真花的照片，你知道是哪一张吗？

先让孩子仔细观察三张照片，看哪一张有不同之处（花朵上落了一只小蜜蜂），再根据这不同之处做出正确判断。

选衣服

图中是紧挨着的两个商铺，一个卖小男孩的衣服，一个卖小女孩的衣服。两个小朋友进来买衣服，他们应该怎么走呢？

先让孩子观察两个商铺里的衣服，据此判断是男孩穿的还是女孩穿的，再决定两个小朋友怎么走。

晾衣架上的衣服是谁的

晾衣架上的衣服是谁的，请用线连一连。

先看图中有几个人，确认是是成人还是小孩，是男性还是女性 ，然后再从左到右一一观察晾衣架上的衣服并连线。

什么鼻子长长的

什么鼻子长长的？什么尾巴短短的？什么嘴巴大大的？什么眼睛小小的？

大象鼻子长长的。

刺猬眼睛小小的。

兔子尾巴短短的。

河马嘴巴大大的。

按要求画头像

根据图中脸部的轮廓线，画四张小朋友头像，要求是两个男孩，两个女孩，发型不能一样哦！

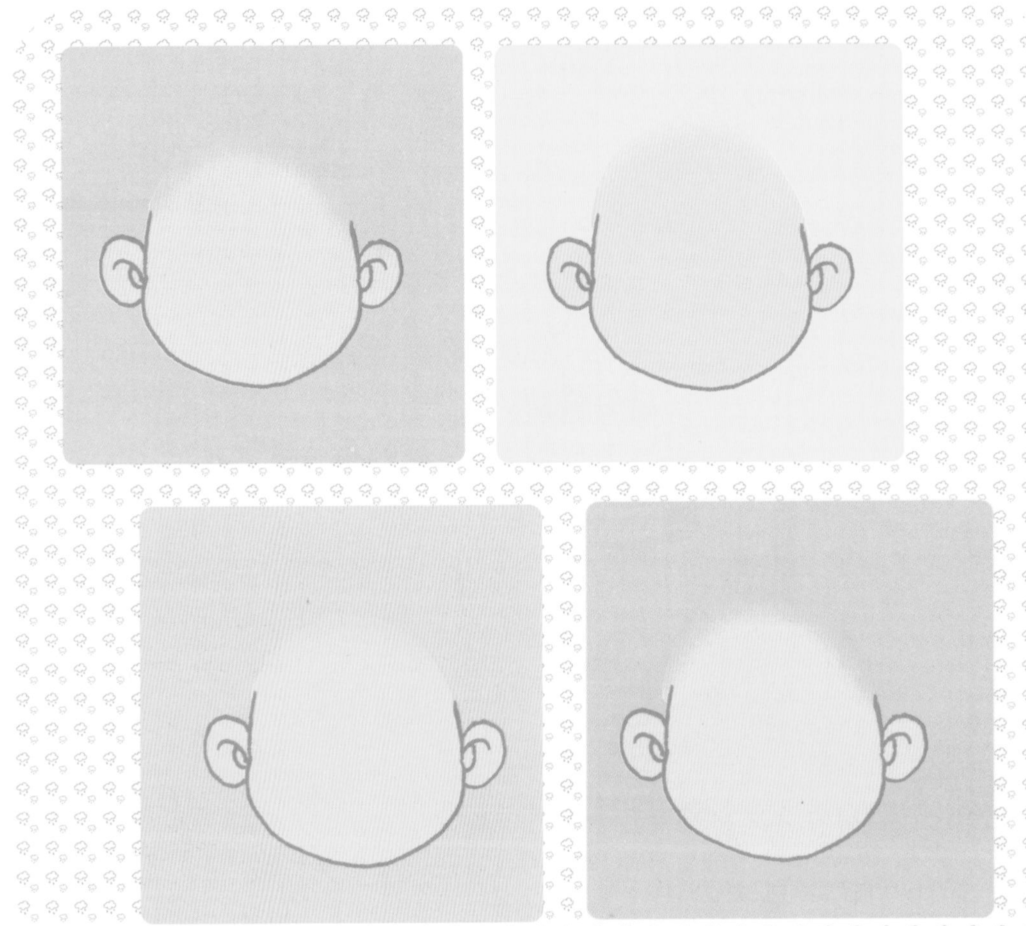

先让孩子说一说图上要画哪些东西，并指出这些东西在图上的大概位置，再放手让孩子画。要鼓励孩子大胆想象，大胆画。

相同的颜色

把图中相同的颜色用线连一连，再说一说相同颜色的图形有什么不同。孩子叫不出名字的图形，家长可以教给孩子。

双彩虹

天空中有时会同时出现两道彩虹，两道彩虹的颜色排列顺序正好相反。请你参照图中的彩虹给另一条彩虹涂上颜色。

引导孩子观察图中彩虹的颜色排列顺序，提醒孩子按正好相反的排列顺序涂色，家长在讲解“相反的排列顺序”时要有耐心。

动物的本领

鸟的本领是天上飞。马的本领是地上跑。鱼的本领是水中游。知了的本领是树上叫。

先让孩子说一说图中的动物在做什么，再把文字内容教给孩子，和孩子做接话的游戏，家长说前半句，孩子接后半句。

动物旅馆

大大小小一群动物，住在动物旅馆里，你知道它们各自住在哪个房间吗？

提醒孩子注意动物们的体型大小及能耐（爬树、飞翔、潜水），先确定一楼大型动物的房间，再确定二楼三楼的。

妈妈最爱小宝宝

图中的动物妈妈分别在为动物宝宝做什么？宝宝的妈妈为宝宝做的事情，有哪些和图中画的很像呢？

让孩子逐个看图，逐个说一说图画内容。引导孩子联想的时候，家长提问要具体，如：妈妈是怎么喂宝宝的？

沙滩上的脚印（一）

沙滩上的脚印，分别是谁踩出的？请你指一指，然后用箭头线标出四行脚印的方向。

先让孩子观察脚印，说一说有什么不同，如果孩子说不出来，再提醒孩子注意观察图例中人物的双脚。

沙滩上的脚印（二）

沙滩上的脚印是几个人踩出来的？他们是怎么排着走过沙滩的呢？请你指出来。

通过在家中或户外演示，让孩子知道一个人踩出的脚印是两行，两个人踩出的脚印是四行。注意引导孩子比较沙滩上四行脚印的朝向和大小。

沙滩上的脚印（三）

爸爸、妈妈和宝宝应该怎么排，才能踩出和沙滩上一样的脚印？

找不同

每张图中都有一个物品与其他的不同，请你把它圈出来。

提示

先让孩子说说每张图中都有哪些物品，引导孩子感知多数物品的所属类别，并找出不属于这一类别的物品。

海洋动物

哪两张小图可以拼合成一个海洋动物呢？用线连一连，如果拼合成的动物你不认识，就向爸爸妈妈请教一下名字吧。

先让孩子观察图例中海洋动物的特征，然后再连线。

再添加一个

每组图上还要再添加一个物品，请你从下面的小图中挑选出来，连一连。

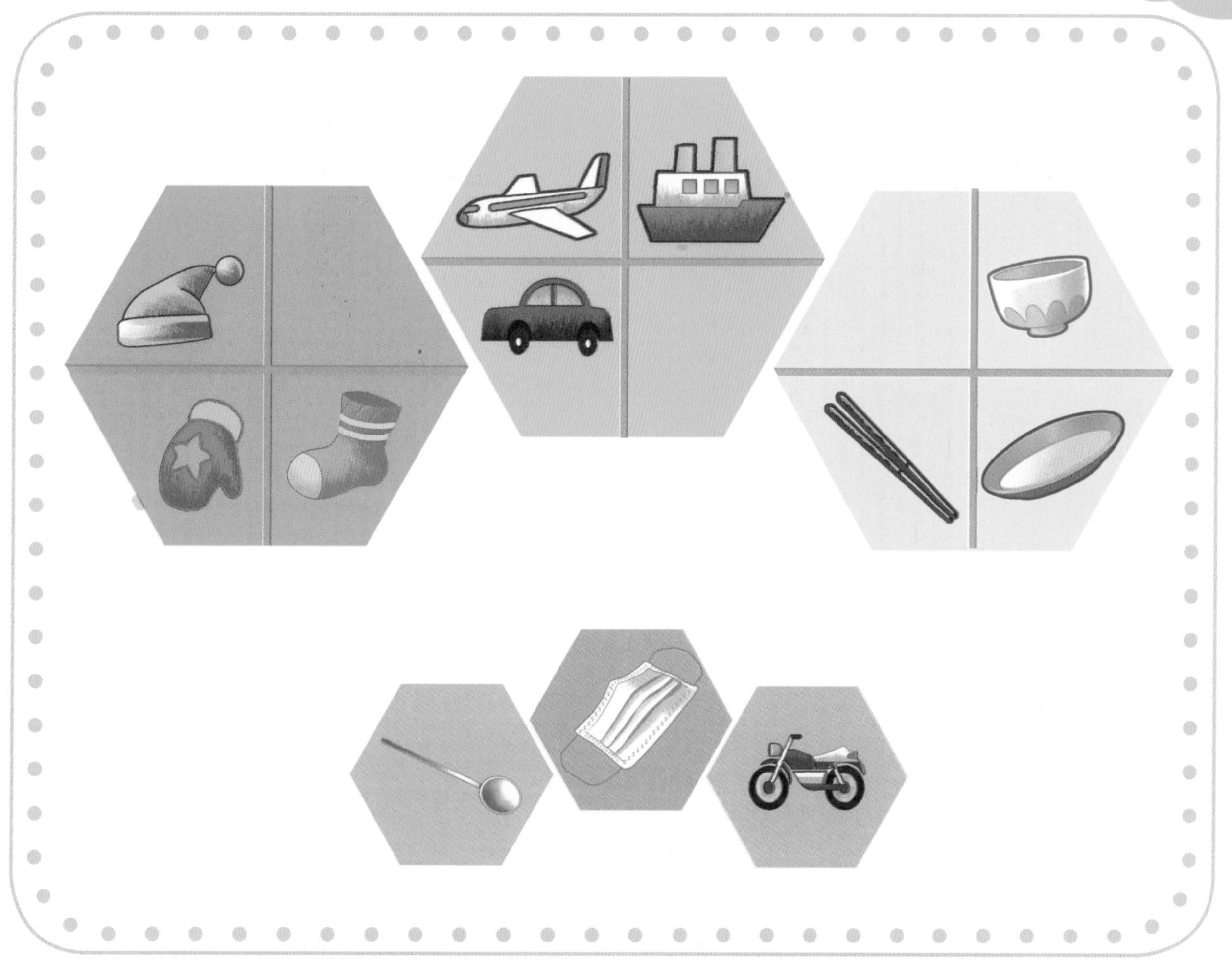

先让孩子看图上都有什么物品，感知它们的类别，再从下面备选的小图中找出相同类别的物品连线。

先穿什么，后穿什么

说一说图中的小朋友接下来应该先穿什么，后穿什么？如果顺序弄反了会怎么样呢？

平时给孩子穿衣服鞋袜时可有意识地边穿边讲，先穿什么后穿什么，使孩子在耳濡目染中获得知识并积累经验。

一个桔子的变化

图中是一个桔子的变化，请你把它的变化顺序，用1、2、3、4标出来。

提醒孩子先找到桔子没有变化前的样子，然后再一步步往下推。练习完成后，家长可以拿一个桔子让孩子照着他排好的顺序演示一遍。

遮住的画面

左侧的画面都被遮住了一部分，请从画面右侧的小图中找出被遮住的部分，用笔圈起来。

在日常生活中，引导孩子认知动物时，要提醒孩子注意抓住动物的特征，根据特征完成图中动物图形的组合。

海底世界（一）

海底世界真精彩啊，快看看都有哪些动物吧。给你两分钟，请你抓紧时间把它们记住，然后翻到下一页回答问题。

提醒孩子看图时要集中注意力，但不能只盯着自己喜欢的动物看，所有动物都要记。

海底世界（二）

前一页的动物中，哪一个游走不见了？又新游来了哪一个动物？

如果孩子无法回答，可再回到前页看一看。在和孩子互动过程中，家长一定要有耐心，切不可责备孩子。

春夏秋冬

图中画的分别是春、夏、秋、冬，请你指一指，说一说，哪一幅是春，哪一幅是夏，哪一幅是秋，哪一幅是冬。

图书在版编目（C I P）数据

智之虎幼儿智能全开发. 2～3岁 / 张语编著. -- 北京 : 连环画出版社, 2013.2
ISBN 978-7-5056-2431-3

Ⅰ. ①智… Ⅱ. ①张… Ⅲ. ①智力开发 – 学前教育 – 教学参考资料 Ⅳ. ①G613

中国版本图书馆CIP数据核字(2013)第033482号

幼儿智能全开发 · 2–3岁

特约策划 / 智之虎
编　　著 / 张　语
责任编辑 / 白劲光
特约编辑 / 杨　苏　武华栋
绘　　画 / 曼珠沙华工作室
装帧设计 / 王　超　陈雅文
出版发行 / 连环画出版社
（邮政编码　100735　北京市东城区北总布胡同32号）
经　　销 / 全国新华书店
印　　刷 / 合肥银联文化投资有限公司
开　　本 / 889 × 1194mm　1/24　印张/30
版　　次 / 2013年5月第1版　2014年7月第2次印刷
书　　号 / ISBN 978-7-5056-2431-3
定　　价 / 94.80元（全6册）